肚臍是隻貓

肚臍爸 肚臍媽

小冰 喜多

著

序

「很多事情不是計畫好的，來了就來了！」
第一次遇到肚臍是他8個月大的時候，
在一家醫院裡等待認養。
那時候剛好有很多小貓在等待新主人，
所以醫院沒有特別推薦認養成貓。
但是第一眼看到肚臍，牠特別乖、特別愛撒嬌，呼嚕聲特別大聲，
一雙大眼睛非常有精神，引起了我們的注意。
當把牠關回籠子後，牠把前腳伸了出來，放在我手上。
那一刻就像命中注定一樣，我們決定帶他回家！

這本書裡充滿我們的生活與愛，
也願這些愛能夠分享給每位讀者！

CONTENTS

關於肚臍爸跟肚臍媽

肚臍的兩位奴才就是肚臍媽喜多跟肚臍爸小冰。
平常最常待在家的就是爸比。
每天在那邊咚滋搭滋，
按一堆會發光的按鈕，
發出怪聲，跟一直唱歌，
是真的滿多才多藝的。

爸比的粉絲團：小冰Lilice

媽咪常常拖著行李箱一大早就出門，
她的工作主要是幫人化妝、做造型讓大家變美美，
有點擔心某天早上醒來媽咪會幫我畫腮紅。
（這樣怎麼見人！我是男生啦！）

媽咪的粉絲團：Hidel喜多

當然，以上講的都是他們兩人的副業。
他們最主要的工作就是「鏟屎官」，
偶爾還要幫我梳梳毛，
幫我抓抓龍，
陪我玩耍一下，
相信他們會越做越好越來越上手，
讓我們繼續看下去吧！

嗨！我是肚臍！

各位奴才好！
我的名字叫做肚臍，
十一月五日天蠍座，
小蛋蛋被結紮的男生。
天生擁有淡定的個性及表情，
然而為了統領大家，
請大家好好跟著肚臍學習。
這樣的話，即使有像肚臍爸小冰那樣煩人
的奴才也不用怕！

要跟好我的腳步喔！

最初的肚臍

一切的源頭，
是從一場握手見面會開始。
回想起流浪的那段時間，
我就是出生在街頭上的小浪浪，
從睜開眼睛那一刻起就努力地生存，
一開始有很多兄弟姊妹陪伴我，
但是不知道什麼原因，
不知道為什麼，
他們慢慢地都消失了，
最終剩下獨自的我。
從那時候起，
我必須自立自強，
開始過著有一餐沒一餐的生活，
常常要忍受挨餓受凍的感覺，
也不知道何去何從，

天天風吹日曬，
在角落裡避雨。
有時候還要躲避那些恐怖又吵鬧的車子和那些
雙腳走路的高大人類。
每一天都過得心驚膽戰，
每一天都只想著如何溫飽，
每一天都想安然度到隔日。

2014 年剛到新家的我，
好瘦小、好苗條喔！

在沒有遮風避雨的街道上討生活，
浪浪生活真的不好過啊！

在我五個月大時，
常常請我吃罐罐的姊姊就把我帶去醫院，
在狹小的籠子裡真的超級緊張！
所以動都不敢動。
好在姊姊把籠子包得密不透風，
讓我在黑暗中稍微可以安心一點點。
在經歷一陣搖晃之後，
迎接我的是一陣亮光與一雙大大溫暖的手，
（我記得姊姊稱呼那個溫暖的手的主人醫生。）
他一面輕輕地安撫我，
讓我慢慢定下心來，
我知道他們不會傷害我！
當天晚上我就被帶進了一間白白的房間，
大家都說我好乖好聽話，
每一雙觸摸我的手都很溫暖，
漸漸地我就不這麼害怕，
慢慢地越來越想睡覺，
就這樣安安靜靜地跟我的蛋蛋告別了。

再會了蛋蛋！

跟我的蛋蛋告別後，
本來我是要回到街頭繼續流浪，
但我利用我聰明的小腦袋轉一轉，
覺得這就是個大機會！
就立刻展開我的必殺技，
呼嚕＋磨蹭＋水汪汪眼睛超級攻勢！
果不其然跟我的計畫一樣，
帶我過來的姊姊覺得捨不得，
醫生叔叔也認為我很乖很聽話，
護士姊姊也很喜歡我，
經過了短暫的討論之後，
我知道我的方法奏效了！
因為我可以繼續待在我的個人ＶＩＰ房間，

不會按摩 **不及格**！
不會餵罐罐 **不及格**！
不會跟我一起喵喵叫
不及格！

對於挑選奴才，
我可是很嚴格的！

享用舒適的空調，
吃不完的乾乾，
還有偶爾的小禮物雞肉罐罐！
這個短暫討論的結果就是：
大家決定幫我找個好奴才來服侍我囉！

就這樣，
我貓生中第一場牽手見面會就開始了。

沒事，抓個毛

憶往當年，
還沒遇到奴才前還真是辛苦啊！

浪浪肚臍

在街頭的我非常堅強，
該躲的時候會躲，
不該躲的時候還是會躲，
很聰明吧！

只要把頭跟屁股藏好，
啊！還有尾巴也不能忘記，
就一切都不用怕囉！

這就是我的貓生之道！

記得在街頭的時候，
那時候的我眼神混濁，
充滿了不安全感，
聽到任何一點點聲音跟動靜就全身緊繃。

街頭的生活，
真的好可怕、好可怕！
所以大家如果在路上看到其他主子時，
不要驅趕他們，
可以請他們吃點東西、喝點水。
雖然有時候為了要保護自己，
會有一些防衛行為，
但是我們其實都是非常乖的。
假裝兇兇，
假裝不屑，
假裝不理你，
假裝要抓你，

你看大家都被嚇到了呢！
演得很真吧！

主子 vs. 浪子

等待一個新家

住在VIP室的這一大段時間，
其實來供奉的人類一直都很多，
來來往往的男女老少都有，
他們都會讓我聞聞他們的手，
認識一下彼此，
但都沒有能擄獲我的心的人出現。
當然他們供奉我的罐罐我也會吃光光，
這是種禮貌！肚臍是很有禮貌的呢！
不過肚臍是有原則的男子漢，
怎麼能夠因為一個罐罐就妥協呢。
罐罐要吃！原則要顧！這是我的鐵則。
但重點還是罐罐一定要先吃到啦！
你都要給我吃了，就快拿來！

好幾個白天跟夜晚，
雖然等待的時間漫長，
但我還是會期待隔天來朝聖的其他子民，
我還是會期待那雙可以好好擁抱我的手出現……

等待的時間好漫長，
但我一直堅信
會有屬於我的家！

算一算住在VIP室也三個月了，
某一天，從一大早我睜開眼睛後，
不知道為什麼，覺得今天心情異常地好，
還有一點興奮的感覺。

我在我的VIP室裡走來走去，
來回踱步，不是不安，是一種期盼感，
有種能量要爆發的感覺！
（難道是心中的小宇宙嗎？）

連護士姊姊都發現我的不同，
我有點緊張地望著她，
她摸摸我說：
「不要緊張喔，奇蹟總是會在意想不到的時間出現！你一定會找到愛你的家人。」

總之總之！覺得今天好像感覺有點不一樣，
感覺……有一件神奇的事情要發生了！

當天晚上來了一對姊妹，
姊姊看了看我的鄰居小賓士，
陪他玩了一會兒，
妹妹就在旁邊左看看右看看。
看著看著，就走到我面前了，
那時候的感覺好複雜啊！
我們對看了好久，
她伸手摸摸我，我聞聞她，
嗯！是一種好熟悉的感覺，
有種……安心的感覺！
當下我的心中就決定了，
她就是要帶我走的人！

我的媽咪本來是陪伴她姊姊，
來醫院看其他貓咪，
但姊姊都沒有看對眼的，
反倒是我跟媽咪一對到眼，
立刻天雷勾動地火，一發不可收拾！
從此媽咪就牽著我的貓掌到現在。

就在二〇一四年八月五日，
經過了重重難關及精挑細選，
還有無數次的罐罐伺候後，
我最後選擇了兩位奴才來服侍我的後半輩子！
然後我相信我以後會有更多罐罐可以吃囉～

能被我選到可是你們的福氣呢！

一個是小冰爸比，
一個是喜多媽咪，
他們用溫暖的手擄獲了我，
喵嗚～～～

請以領養代替購買！

品種只是身分，
無法代表任何實質上的意義，
收容所或是中途之家有很多可愛的貓咪，
一樣都是生命。
不論什麼品種，
能夠回饋給你的信任感及愛都是一樣的！

如果沒有遇到愛心姊姊，
如果沒有遇到好心的醫生叔叔，
如果沒有遇到媽咪跟爸比，
我現在可能不會這麼幸福！

沒錯！肚臍我是被領養的喔！
沒有特殊品種，
就是一般的米克斯。
我在危機四伏的街道出生，
經歷風吹日曬雨淋，
不敢跟別的貓搶地盤，
還常常被路邊壞小孩追打，
好不容易幸運地被愛心姊姊帶去醫院，
才有機會獲得「新貓生」～
請以領養代替購買，
帶我們回家後，請愛我們一輩子，
我們會用一生陪伴你們！

雖然爸比跟媽咪他們很幼稚，
但是我知道他們很愛我，
也很尊重我，
所以肚臍大人有肚量，
原諒他們囉！

在外頭還有很多流浪的貓咪
等待大家去幫助，
請盡你所能地給予他們溫暖吧！
只要用心照顧，浪浪也會變美貓喔！

肚臍的新生活

肚臍的第一天

一到新家就躲在角落不敢出來，
睜著一雙大眼睛一直東看西看。
對任何聲音跟動作都特別敏感，
連用罐罐討好也沒有用，
一躲就是三天……

肚臍的第四天

漸漸習慣這個新環境後，
終於慢慢可以離開角落了，
爸比跟媽咪準備了新玩具，
覺得好新奇喔！
偷偷摸摸來玩一下好了～

肚臍的第六天

離開角落後，
最重要的就是，
要開始尋找這個地方最舒適的位置啦！
這個一大塊軟軟又香香的墊子蠻舒服的，
還可以自製山洞把自己包起來，
不錯不錯！
以後就決定睡這邊了~

肚臍的第八天

這個地方可以看外面的鳥跟人，
木頭地板涼涼的也好舒服。
可以曬曬太陽讓我盡情地伸懶腰打滾，
真喜歡！

肚臍的第十天

被抓去洗澡。
最討厭洗澡了啦！

肚臍媽

其實貓咪本身是非常愛乾淨的動物喔！
一般不太需要洗澡，
但因為肚臍流浪在外很久，
所以才決定在他比較熟悉我們一點之後帶去一次大清潔，
他應該不是很開心哈哈哈！
很討厭碰水，
也因為他很少出門，
所以之後就讓肚臍自己舔毛清理就足夠囉！

肚臍的第十二天

慢慢地知道這個環境的主人就是我！
所以感到很安心～
想躺哪就躺哪，
想睡哪就睡哪，
奴才們服侍我也是理所當然的囉！

專屬寶位！

安心的睡姿
zzZ
這個好好吃，
多給我一點啦！

肚臍的第十三、十四、十五天

吃飽睡，
睡飽吃。
吃飽了再睡，
睡飽了再吃。
啊！還有會曬曬太陽，
被爸比煩一下，
基本上到現在也差不多是這樣舒舒服服的喔！
除了被爸比煩之外～

Z Z Z

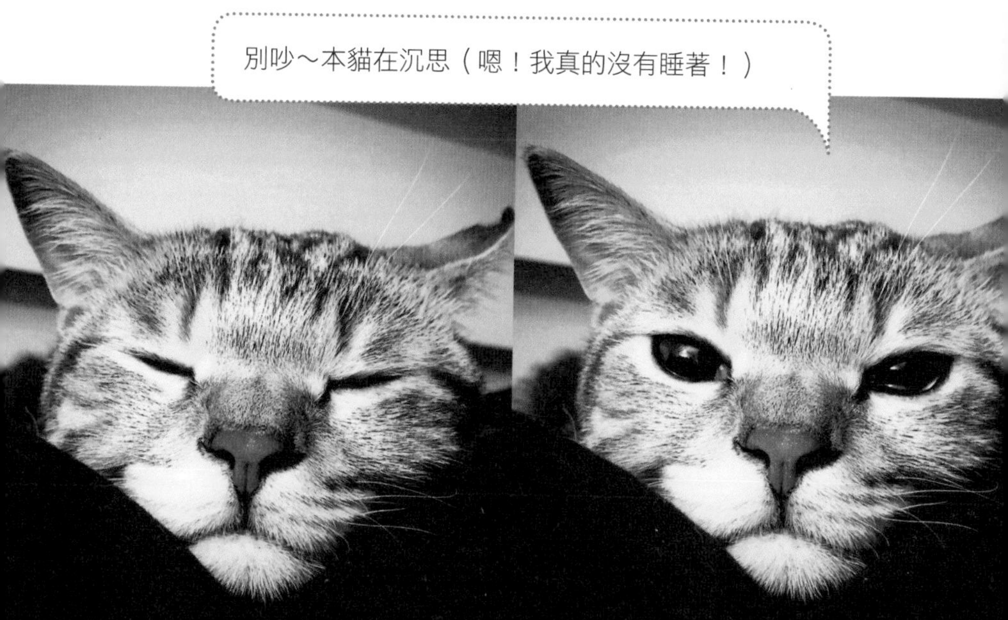

我只是想穿
你屁股下那件衣服…
你要幹嘛！
你不能碰！

肚臍的第N天

我就是這個地方的新主子～
整個地板、房間、沙發、
爸比的鋼琴，
還有剛洗好烘完熱熱的衣服，
家裡的任何東西都是我的！

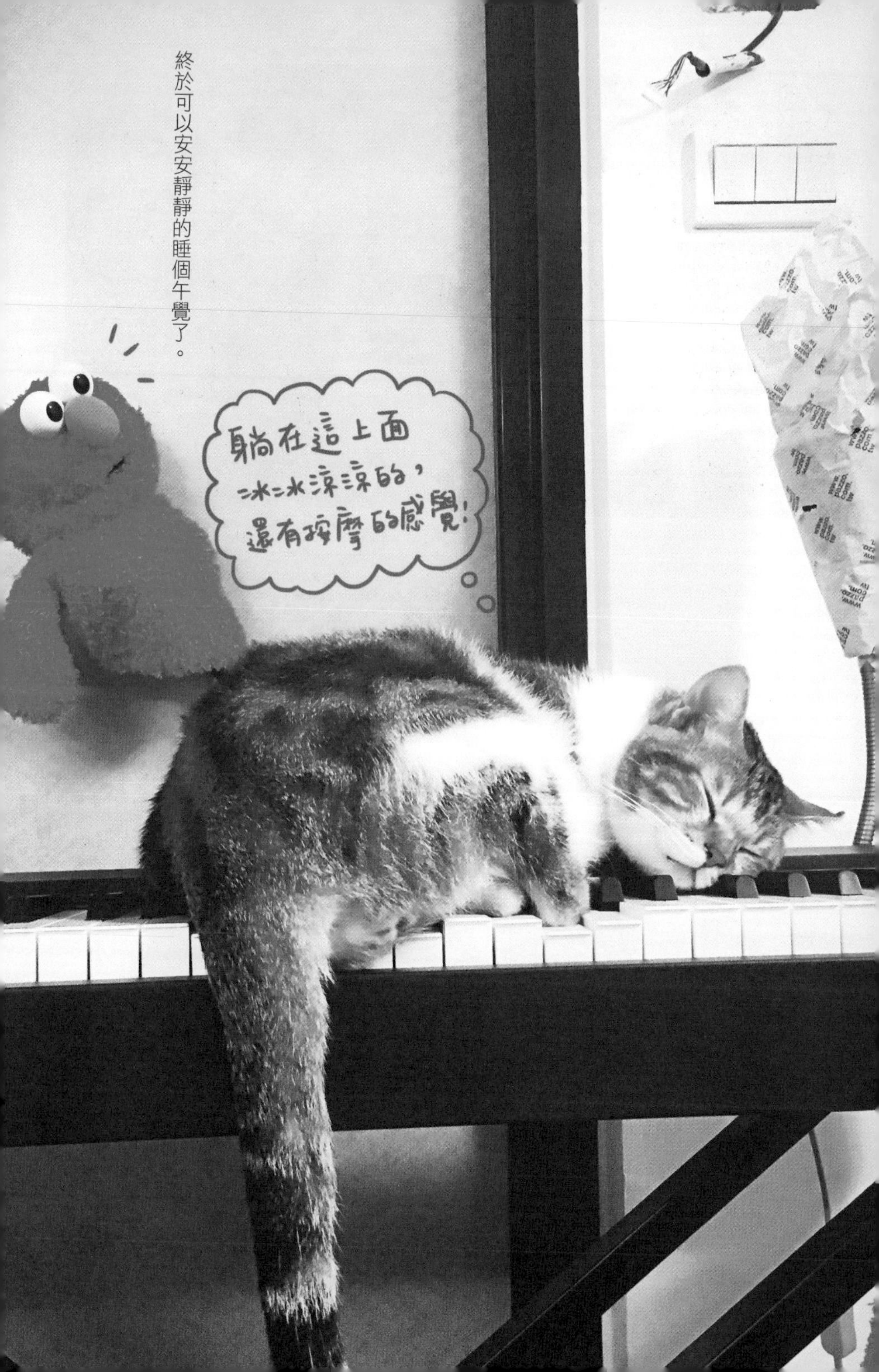

躺在這上面
冰冰涼涼的，
還有按摩的感覺！

終於可以安安靜靜的睡個午覺了。

我不是膽小，只是需要沉思空間

沙發或床底下是我的安全地帶，當我感到不安或是需要自己的空間時，我就會躲到沙發底下沉思。（爸比覺得沙發底下很髒，要我趕快出來！但他都不了解沙發底下有多麼吸引人！）不過我知道只要躲深處一點，爸比的胖肚肚就會卡住抓不到我啦！

這是什麼
怪東西？
???

還不起床！

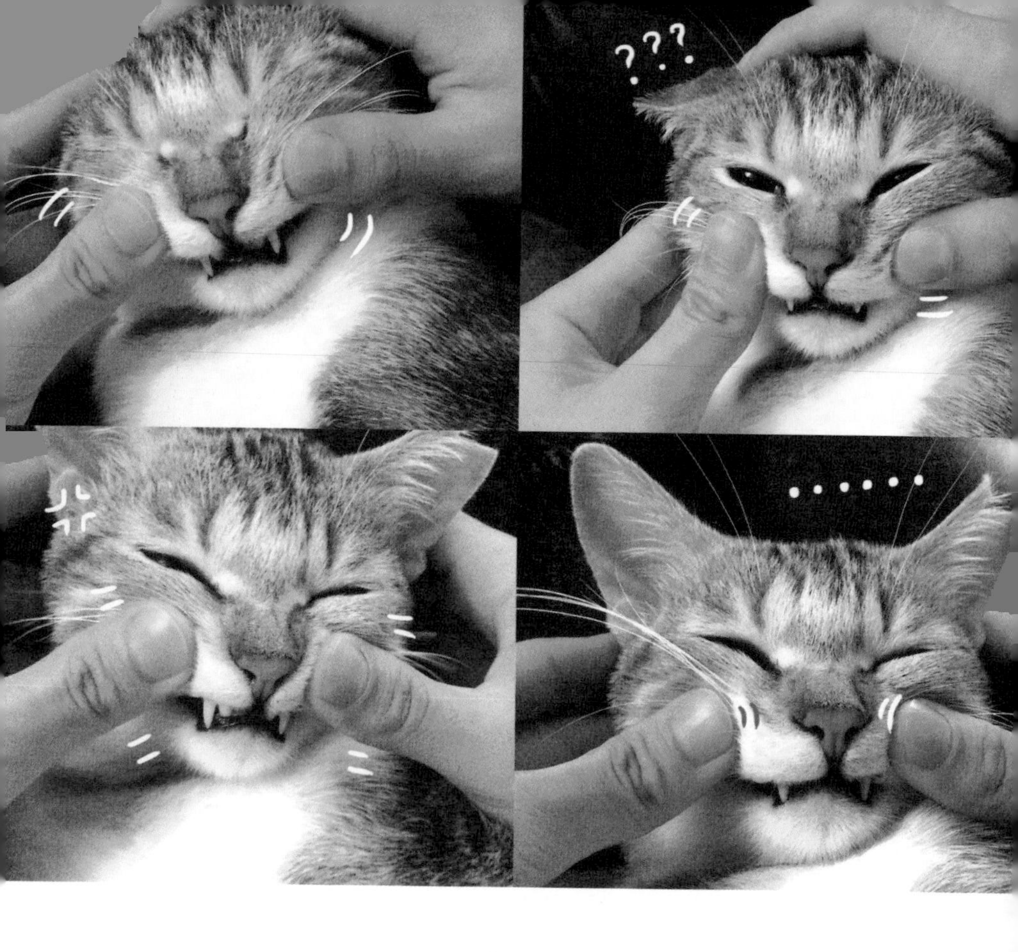

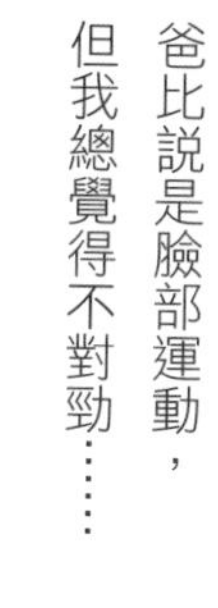

爸比說是臉部運動，
但我總覺得不對勁……

搞什麼？很煩耶

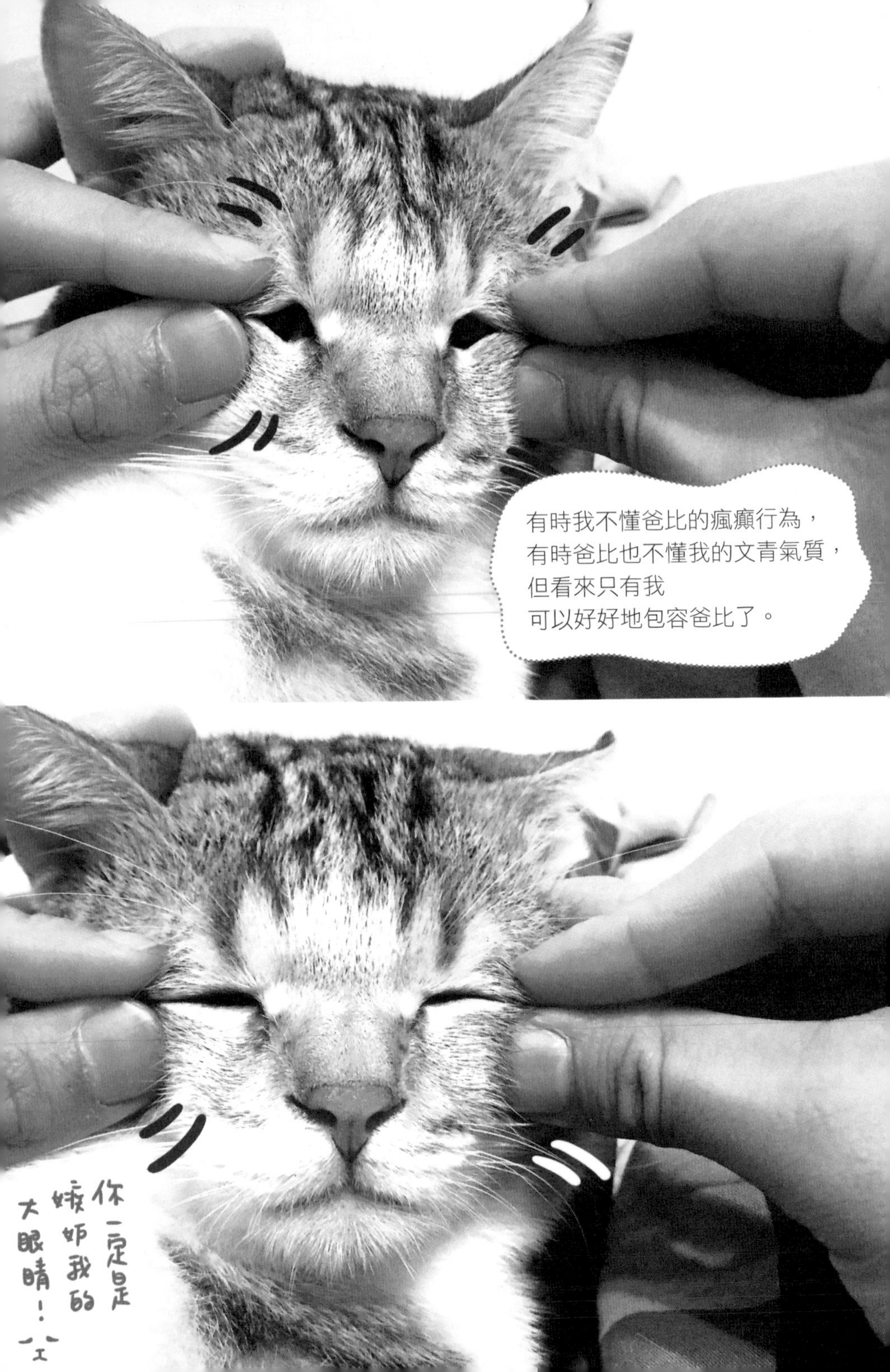
有時我不懂爸比的瘋癲行為，
有時爸比也不懂我的文青氣質，
但看來只有我
可以好好地包容爸比了。
你一定是
嫉妒我的
大眼睛！！

其實我只是懶得理你

爸比常常會逼我做一些奇怪的事情，
像是帶著我彈吉他、打鼓，
跟著音樂點頭，
做一些怪表情。
（其實都是爸比在那邊很忙）
我一開始有點疑惑，
到現在還是有點疑惑。
但可以確定的是爸比很愛我，
只是他表達的方式有點特別，
我想我應該要默默地接受他的愛。
即使他再怎麼幼稚，
我還是會待在他旁邊，
頂多是有點無奈罷了……

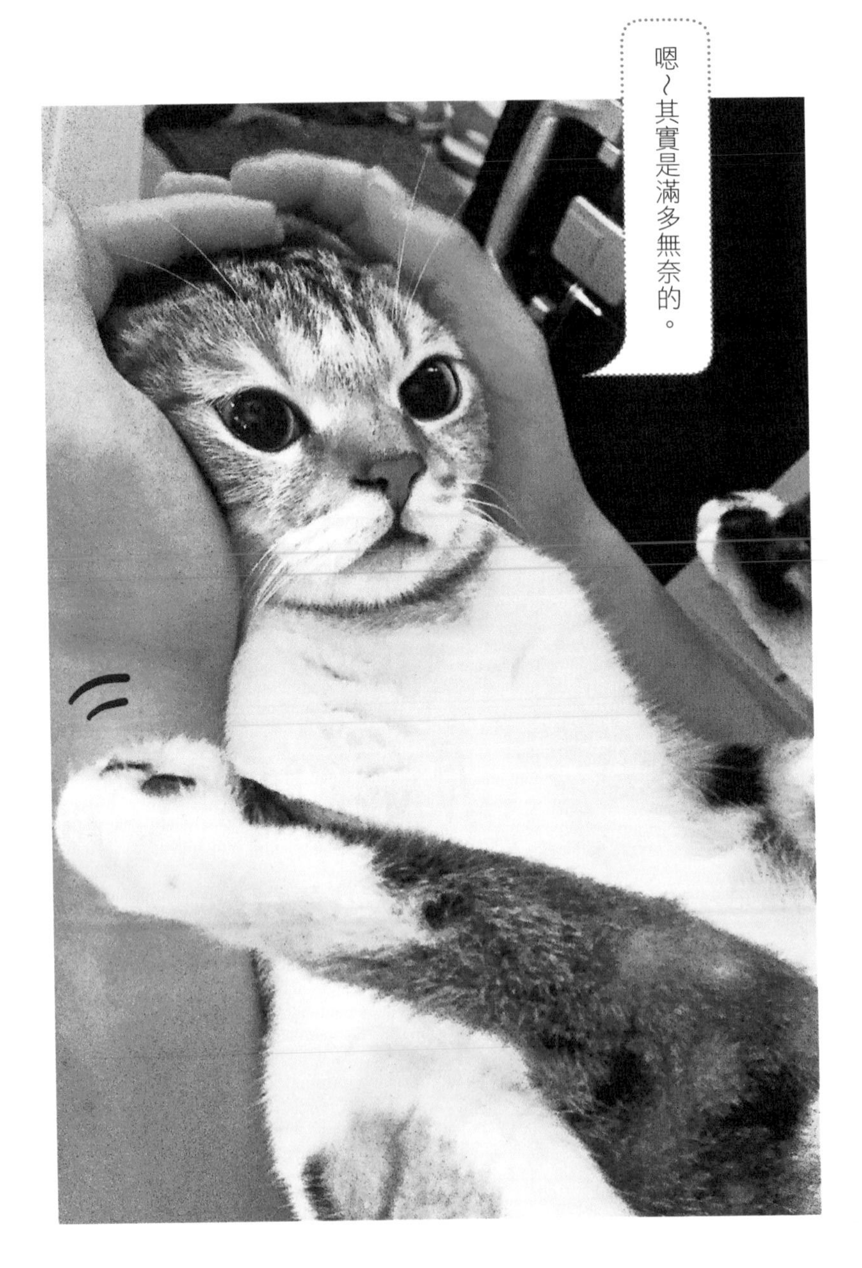
嗯～其實是滿多無奈的。

我的家人都很幼稚，
但是因為他們都很尊重我，
所以我肚臍有肚量，
通通可以原諒！
嗯……
我覺得剛剛話好像說太早了，淡定淡定！

他們不單純只是寵物，而是家人！
你給予他們多少愛，他們是會感受到的！
而且會百倍地回報給你！

別懷疑，
我不想理你

給我罐罐，
我就會更愛你喔！
快給我～

生病的時間過得好慢好慢……

剛到新家時，其實都很順利！
本來會一直這樣持續下去。
然而到了第二個禮拜，可能是環境因素，
也可能是遺傳因素或是流浪時的舊疾，
我病發了！
從早到晚都喘不過氣，不能好好睡覺。
感覺被像海水那麼多的鼻涕塞住鼻孔，
爸比跟媽咪都非常擔心。
經過好多次的就醫及醫生叔叔的診斷後，
靠著吃藥及休息，病情終於穩定下來了！
但因為這個症狀也導致鼻腔發炎，
直到現在只要天氣變化比較大，
我就會開始鼻塞，睡覺時也會打呼。

肚臍媽

「養一隻貓，療癒了整個生活。」
在某本書上看到了這段文字，
真的是感觸很深，
而且身歷其境！

養了他們，
就像照顧一個小皇帝，
得一輩子服侍牠們。
即使他們老了、病了，
也不能因此拋棄或放棄牠們！

爸比跟媽咪都說我不能玩躲貓貓，
因為鼻鼻聲音很大，一下就被發現了！
哼哼！可惡！

啊！大家不用擔心喔！
爸比媽咪都有定期帶我看醫生，
目前是吃中藥調養，
每天還是吃吃喝喝、
睡睡拉拉和曬曬太陽喔。

最喜歡在袋子裡面了!
感覺令人安心~

竟然被你發現我在這裡！
最喜歡紙箱了！
好有安全感～
所有進到家裡的箱子都要經過我這關，
我要好好地檢查，
從裡到外都不可以放過～
其他人統統不能跟我搶！

二〇一五年一月時，
媽咪跟爸比發現，
我的後腳有點跛跛的，
觀察幾天後決定帶我去檢查，
醫生叔叔發現可能是我流浪時，
骨頭斷裂的舊傷所引發，
需要開刀，
把腳裡面一小塊多出來的骨頭拿掉。
因為聽說要全身麻醉，
所以爸比跟媽咪非常緊張。
但我知道自己絕對沒問題的！

什麼大風大浪沒見過？
我可是肘老爺！！
很勇敢呢！

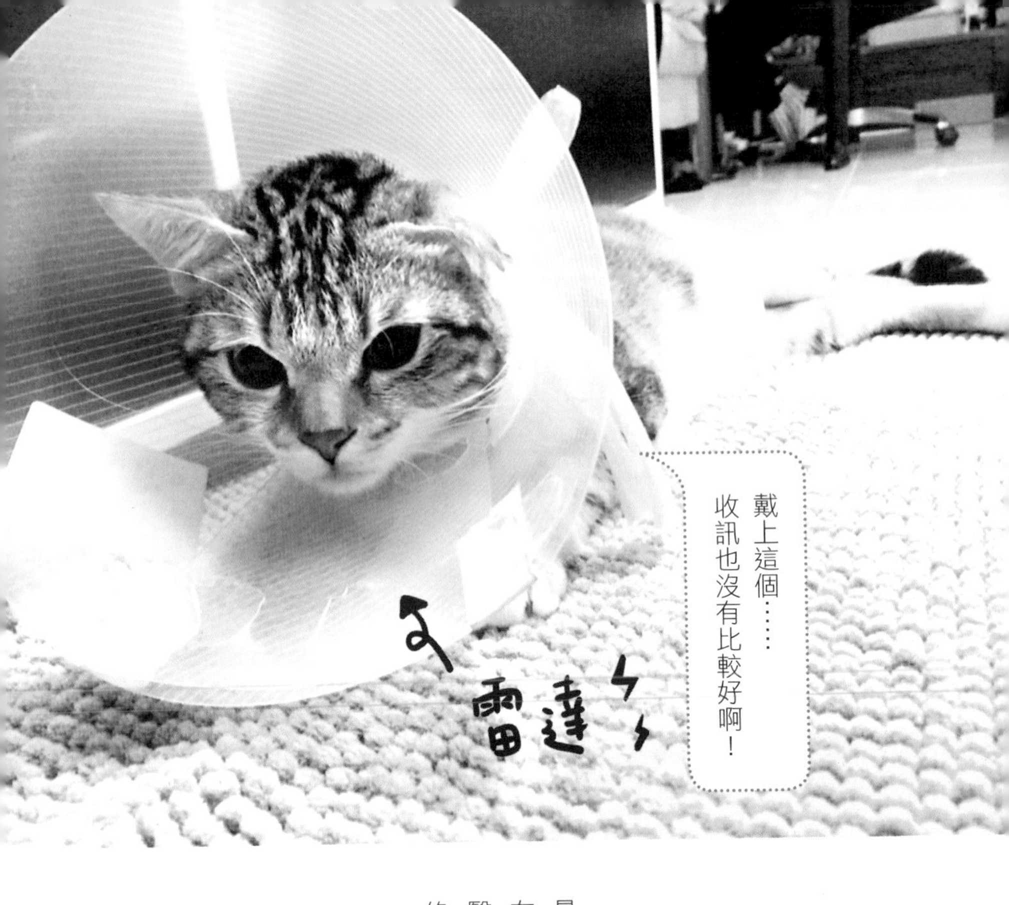

戴上這個……
收訊也沒有比較好啊！
雷達ㄆ

最後手術非常順利地完成！
在醫院觀察幾天後，
醫生叔叔覺得復元狀況不錯，
終於可以出院回家休養囉！

無毛貓腿排
腳毛被剃掉一大塊，實在是太丟臉了！
本貓帥氣度瞬間銳減了啦！喵嗚～
咬東西出氣中（咬死你！咬死你！）

你們一定都在偷偷講我壞話喔！

肚臍媽

其實貓咪是非常能忍痛、忍耐的，
真的發現有問題時通常都很嚴重了！
所以奴才們一定要非常細心喔！
只要發現有跟平常不太一樣的行為時，
像是瘋狂舔毛，
或是不安地一直走來走去，
體溫過高，
明明在自己的地盤卻一直想躲起來，
這時候就要多多注意觀察，
情況不好時就要立刻就醫喔！

玩樂不是我的最愛，
看風景我可以一整天！

對於那些會跑來跑去的球，
或是那種甩來甩去笨笨的逗貓棒，
其實我為了讓爸比跟媽咪開心，
偶爾會賞個臉用手撥一下。
（我只要有小小的反應動作，
他們都會突然超級開心，玩得更起勁，
真的好奇怪喔～）

如果我會飛的話，我想去……

我最喜歡的休閒活動
就是舒舒服服地趴在窗台上，
看外面的東西走來走去，
飛來飛去的鳥，
翻翻肚子、
曬曬太陽、
做個日光浴……

很多人認為貓咪很獨立不用特別照顧，
但這是錯誤的觀念喔！
牠們是非常愛撒嬌的小朋友，
其實也是很需要陪伴的！

肚臍
乖不乖？

爸比跟媽咪眼裡的肚臍

肚臍非常乖也很黏人呢！
通常我們不在家的時候都會一直
睡到我們回家才會醒來，
等我們回家開門後起床迎接我們，
而且會發動超級攻勢一直撒嬌呢！

肚臍爸&肚臍媽

「肚臍好乖，
會在家乖乖等爸比跟媽咪呢！」

實際上的
肚臍

死奴才現在才回來！
難不成想餓死我啊～～
說！怎麼這麼晚回來！

貓咪，生活中不可或缺的角色。
很多人覺得不懂貓咪的心思，
覺得很難捉摸。
但貓咪這種若即若離的感覺，
反而讓人更加珍惜！

想拿玩具騙我上當？
門都沒有

唉唷！這個羽毛好煩喔！

我不是想玩喔～

我只是想把它咬住！

真的沒有想玩它，真的！

肚臍媽

貓咪最常見的疾病，
就是腎臟方面的問題，
因為一般貓咪不太愛喝水，
所以奴才們要非常注意主子
攝取水分的狀況喔！
很多人會買循環飲水器
也是個不錯的方式，
肚臍媽也會在餵罐罐時偷偷加很多水，
有時候喝水量真的不足時，
也會用針筒直接餵，
一次的量約10cc，
加強補水喔！

肚臍媽

肚臍常常會在一個地方坐著，
然後一動也不動，
有時候會盯著你看，
有時候會不小心睡著變瞇瞇眼，
他的耐心可以讓他在原地好久好久，
久到我們有時候都忘記，
他還在原地盯著我們看呢！

外婆的↑
背影
陪外婆一起度過休閒的下午！

外公外婆也被我收服！

過年的行程都是跟著媽咪回老家，
（因為爸比要回南部，肚臍實在是無法去這麼遙遠的地方啊……）
媽咪的爸爸跟媽媽也都很愛我喲！
一下下就被我收服了！（小CASE！）
外公會陪我一起抓蟲，陪我一起睡覺，
外婆會一直問我：
「會不會餓？」
「要不要吃飯？」
所以過年回娘家我一點都不無聊！
有人會摸摸我，會伺候我吃罐罐，
有好大的窗戶可以欣賞風景跟看小鳥，
有蟲蟲可以抓，
有人可以帶我飛高高，
完全是我的度假勝地！
（我不要回家了～～～）

外公登場
外公再高一點！
PROFESSIONAL
COMPE EDITION

好喜歡在一大片玻璃窗前，
曬太陽、看窗外，
然後跟媽咪玩「打擾妳工作」的遊戲，
用我雄壯的後腳踢媽咪的手。

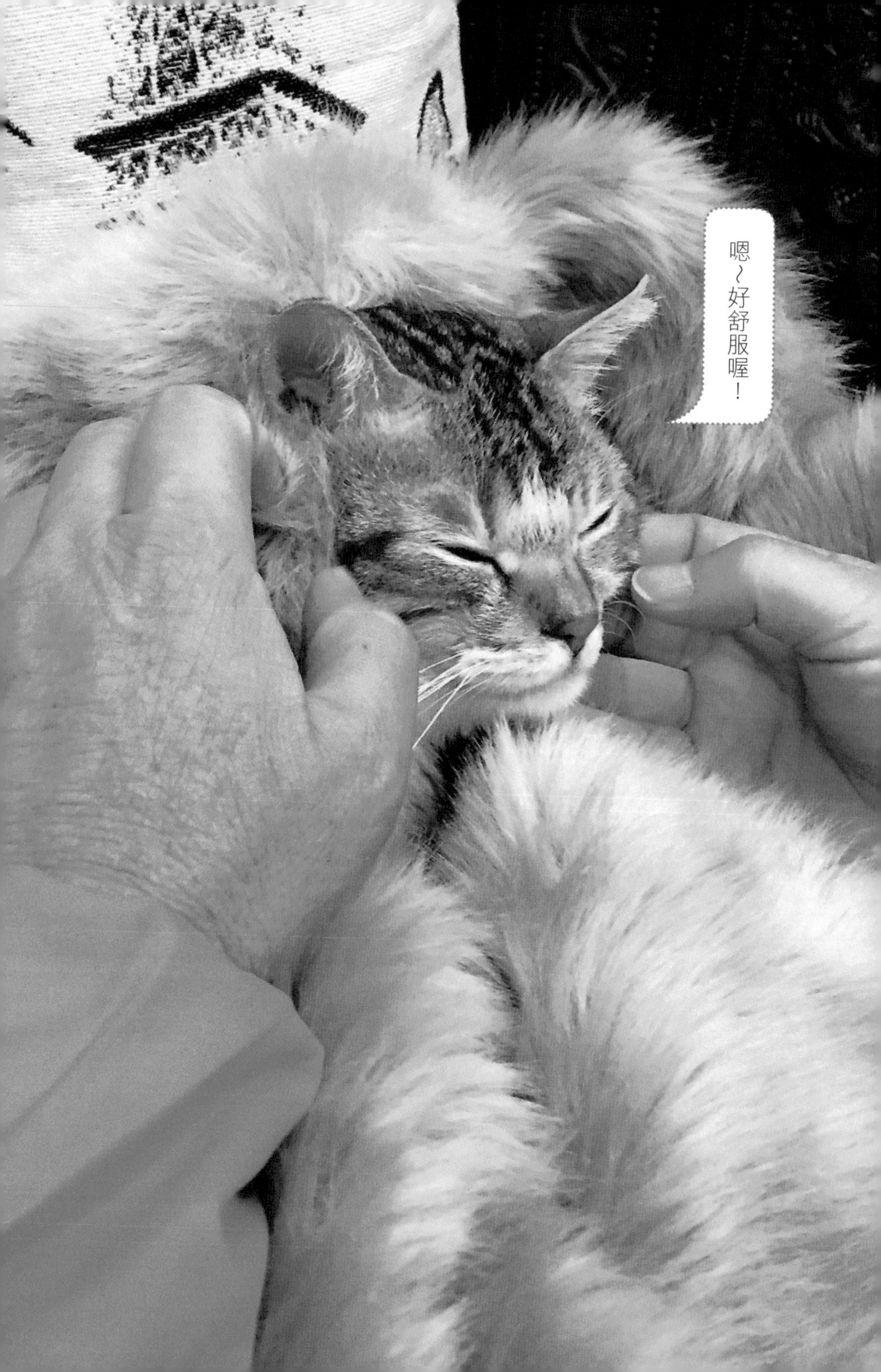
嗯～好舒服喔！

信肚臍者得療癒！

跟著爸爸
下午踏青去

看看我認真專注的神情！
不動如山的我，
時時刻刻都要維持好體態！

經歷過一些苦難後，
就會體會到幸福的感覺。
希望能一直幸福下去！

我是鼻毛！我本來有帶見面禮
要給肚臍哥哥，但是路上太餓不小心就吃光光了！

家中新成員報到！
搞笑藝人——鼻毛

鼻毛剛來到我的地盤時，
我還真有點不習慣這個有點愛玩的小毛頭。

比我活潑，比我好動，
比我笨，比我傻，
比我愛吃，比我愛亂跑……

明明年紀跟我差不多，
卻像小屁孩一樣衝衝撞撞的。
我只能充當冷靜的大哥哥，
幫他理理毛，
輕咬警告他一下，
這樣他才會乖乖地懂規矩（應該吧？）

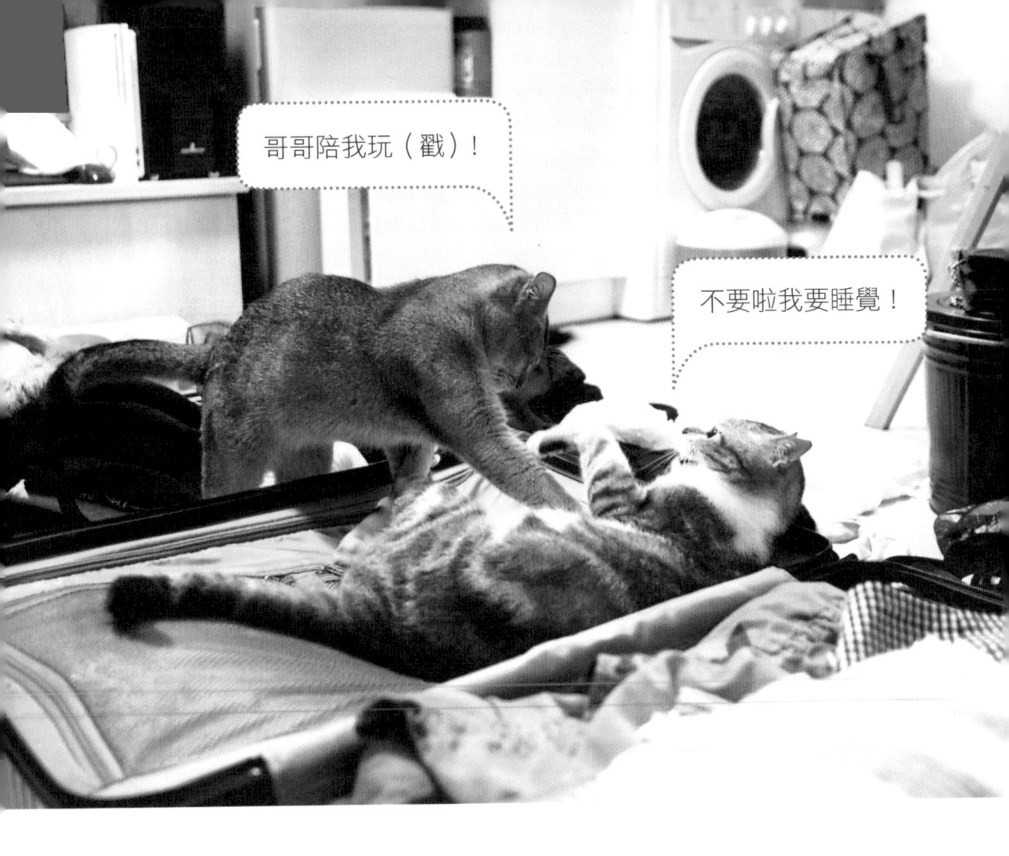

鼻毛常常有一些令我無法理解的行為，
譬如說很愛用後腳打招呼，
時不時會定格，
坐姿很不得體！
看來需要再教育了！

他很愛一直黏我，
一直想要我陪他玩。
但就算我請他解釋這些行為，
大概也問不出什麼所以然。
所以，我就當作沒看到吧！
（默默移開眼神）

兩兄弟的
慵懶日常

這樣坐很舒服耶！
我失焦了
我什麼都沒看到……

如何讓貓咪彼此熟悉？

在養第二隻貓前都需要有這些觀念喔！
每一隻貓對其他貓咪的反應都不一樣，
要讓原本家裡的貓老大，
先熟悉另一隻貓咪的味道。
在新貓咪入住前，
可以用手帕或是布摩擦兩隻貓咪的毛，
然後互相讓他們聞一聞。

帶回家後建議先隔離，
放在互相看得到的位置。
隔離時間不一定，
要看每隻貓的狀況。
有時候只需要一天，
有時候可能要花上好幾個禮拜，
所以需要很多的耐心！
另外在照顧新貓咪的同時，
也不要忘記要安撫原本的貓咪喔！
他們可是會吃醋的～

哥！你看我、你看我！

……（無視）

肚臍

哥！這邊好空曠喔！（攤平）
媽咪，我們家多了一塊地毯。

搗蛋一天，髒髒的！

哥！我跌倒了！

你不是一直都在跌倒！

雖然有點黏人我不習慣，
但我其實不討厭鼻毛喔！
不管遇到任何事情，
我都會用淡定的心去迎戰的！
畢竟我身邊還有一個更煩的……
你們知道的～

我好帥！

肚臍的時裝秀

一直覺得自己穿衣服會很帥氣，
但是好像不是這麼回事……

呱呱時尚

頭套代言 **肚臍**

如何將頭套戴好戴滿？

潮貓必備配件
時尚的完成在於成功的頭套

Fashion Show

窺探肚臍的私服
最時尚的貓界穿搭術

Merry Chrstmas

聖誕節快樂！

貓皇最帥氣穿搭經典介紹

指導每位主子如何當聖誕老貓
但不給子民禮物的方法

DUCHI

|讓大家看不出來的|

回收時尚

全身都是回收品
依然帥氣破表的小秘訣

貓咪界的「無印良品」
教你穿出名牌質感

資源再利用
貓貓有責！

肚臍的回收方法大公開

從 0 元垃圾到無價之寶
環境保育與賣萌可愛兼顧的革命新概念

回收品也能穿出時尚造型！

最高投資報酬率！零成本的滿分時尚！
看看最強萌主怎麼穿

HOT ITEM
軟綿綿
豬頭盔
超吸睛造型
就從頭開始！

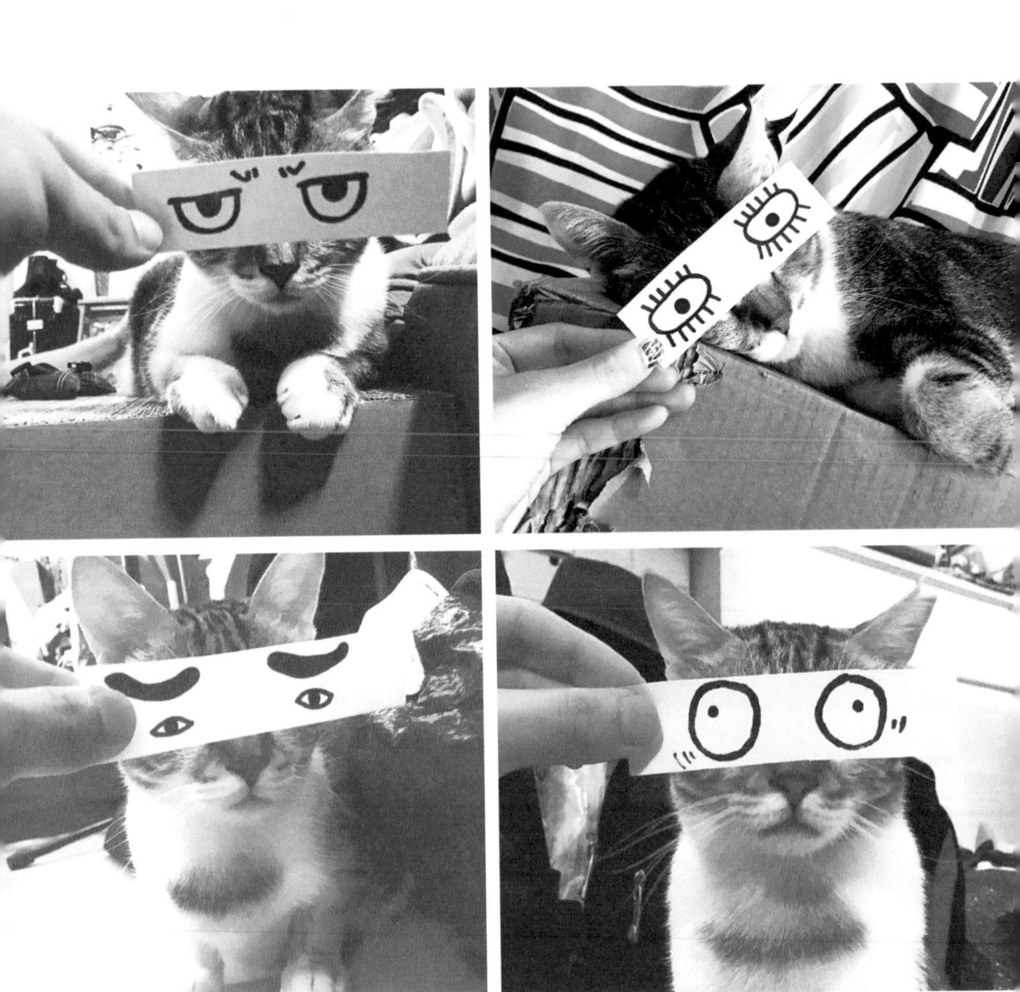

我是獅子王！

身材矮小不重要
志氣高才最要緊

從人見人抱的萌萌貓，到雄壯威武的霸氣獅王
獨家傳授你氣勢滿點的「**關鍵穿搭**」

獅吼功 VS. 貓吼功

沒有穿不出，只怕你不敢穿
只要用對方法，米克斯也可以打敗藏獒

今天是本喵的生辰日，
特地披上龍袍展現威嚴！

貓儸紀公園
登場！
穿上暴龍裝
氣場瞬間提升 200%
＼喵吼吼吼吼吼吼吼！／
膽小鬼也能變英雄
吼叫聲不再只是喵

DIGICHI
萌主登場！
全世界都抗拒不了！冬季必備毛絨外衣
裝可愛
教你絕對不被拒絕的方法！
「任性」是貓生勝利組的必備技能
零食保證騙到手的「逆」飼養攻略

今年冬天
高領毛衣
必備！

回頭率

100%

一秒攻陷少女心的紳士魅力！

西裝是男人的戰袍！
每日著西裝，
塑造自然挺拔的身形！

帥氣，不再只是講講！

約會不敗款 這樣穿保證不會被打槍

抬頭
45度角的魅力
服裝很重要，
但「拍照角度」也很關鍵！
兼具保暖及造型的
套頭熊貓裝

肚臍的最愛！無法抵擋的誘惑～

最喜歡的就是雞肉條！
那個香味一打開我遠遠就能聞到了～
超級喜歡那種脆脆的口感，
咔哩咔哩（咬）。

DUCHI 'S LOVE

罐罐

小老鼠玩具

爸比&媽咪的鞋子

抓抓

雞肉條

小魚干

肚臍肚臍知多少？

剪耳

肥肚肚

大眼睛
橡皮擦鼻
白鬍子
招牌漢堡

因為我那一位幼稚爸比的關係，
我竟然獲得了子民頒發給我的獎盃！
謝謝大家的愛戴，
我會更加地淡定！

本貓竟然有獎杯～

獎杯是什麼？可以吃嗎？

任何新東西到我的地盤，
都逃不過我的眼睛！
讓我先來檢查檢查～

自己的粉絲團自己管理，
大家要隨時鎖定喔！

我知道爸比跟媽咪有時候
老人癡呆會忘記來伺候我
所以我特別享受摸摸時刻！

鼻毛老弟總是喜歡躺在我睜開眼睛就
看得到他的位置⋯⋯

溫度持續上升中……

晒晒太陽
就想睡覺了……

我大概已經習慣應付
任何狀況了！
背上是誰，我一點都不想知道～

聽說貓咪是種神秘又會魔法的生物，
牠們能讓人乖乖地臣服。
不需要做什麼事情，
揮一揮爪、用眼神下達命令，
就會有人服侍，
怎麼這麼神奇？

肚臍爸
肚臍媽的
真心話大冒險

肚臍與爸比

從小到大沒養過寵物，肚臍是第一個，因為我完全沒有任何經驗，所以一開始不太懂得如何照顧他，但慢慢地發現了相處的模式。這其實是非常自然的一件事情，自然到我很疑惑，之前怎麼不會跟他相處，哈哈。因為肚臍太過淡定了，怎麼跟牠玩鬧都沒有反應，慢慢就變成是我去玩牠，而不是牠跟我玩。所以大家對我的印象就是一個瘋狂老爸吧！哈哈！

By 肚臍爸比

屏氣

肚臍與媽咪

遇到肚臍其實算是非常意外的一件事情，也是一件非常非常幸運的事情。當時其實是陪姊姊去醫院看貓，看著看著，我就被一雙美麗的眼睛吸引住……當下我就決定要讓牠當我一輩子的家人。不過真的是壓根沒想到，最後會是我帶了一個小朋友回家，（肚臍～～是不是你對我下咒了啦！）那種感覺怎麼說呢……就像是一見鍾情的那種感覺吧！（笑）

By 肚臍媽咪

別弄朕，朕要在媽媽懷裡當大爺

平靜的生活多美好

從小出生在街頭，
但已漸漸遺忘了，
當初在街頭生活的那種緊張心情。
現在在我身旁的都是溫暖的感覺。
謝謝爸比跟媽咪，
有你們的伺候，
讓我覺得天塌下來也不用怕！

難道我學過如來貓掌
也要告訴你？

謝謝奴才們的盡心盡力，
才能讓肚臍這麼放心。

冷冷的時候擠一起還
滿舒服的。

你數1 2 3
z z z
3

肚臍媽

肚臍是比較膽小的個性，
這次嘗試帶他出門時一開始有點小緊張！
我們避開了大馬路及人群，
選擇在寬廣的草原讓他走一走，
後來肚臍有好奇地到處聞聞呢。
我們的安全措施都有做好，
散步的時間也很短。
貓咪是比較柔軟的動物，
所以牽繩一定要非常小心注意，
也算是一個初體驗囉！

好久沒有出門了！
有點緊張又興奮～

太陽好溫暖！
啊！被偷拍了！
我還沒準備好耶～

肚臍是親貓還是親人呢？

可能因為我比較膽小的關係，
在流浪時常常會被欺負，
也搶不到東西吃，
只能默默地躲在遠處張望。
對於其他貓貓跟狗狗不太知道如何相處，
所以我很親近人類，
我會特別容易撒嬌啦！

對於鼻毛老弟就……
因為他實在太黏我了，
我曬個太陽也要跟我擠！
睡在爸比的椅子上也要跟我擠！
有事沒事就要玩一下我的尾巴
（逗貓棒的概念？）
所以他算是個大特例吧！
因為他也是個膽小鬼，
我決定收編他，
替我壯壯膽！

肚臍媽

原本以為肚臍不太會跟其他貓咪相處，
但可能是因為鼻毛的個性讓肚臍接受了，
從一開始的互相警戒，
到後來鼻毛會找肚臍舔毛，
沒看錯！真的是他去找肚臍哈哈，
都會把頭塞進肚臍身體下，
然後露出享受的表情喔！

怎麼不問我是用
哪牌放大片啊？

肚臍 Q&A

常常有許多肚粉的許許多多疑惑，這邊一次解答喔！

詢問度 NO.1

Q：肚臍為什麼叫做肚臍？

A：大家看過《航海王》這部漫畫嗎？肚臍媽是《航海王》迷！那時候跟肚臍爸討論後想要取一個人身上的器官，就想到空島那一段的打招呼方式：「肚臍！」所以肚臍這個名字就誕生啦！

詢問度 NO.2

Q：肚臍的耳朵為什麼缺一角？

A：肚臍之前是浪浪喔！所以當初被帶去醫院時是打算使用TNR結紮原地放回。但因為肚臍太乖了！醫生叔叔結紮

完剪完耳才決定送養，所以肚臍的耳朵才會有剪耳痕跡喔！（男生剪耳是剪左邊 女生是剪右邊）

詢問度NO.3

Q：肚臍是什麼品種的貓咪呢？

A：肚臍是一般常見的米克斯喔！不管是什麼品種的貓咪，都要以領養代替購買，養了就要好好愛護我們唷！

詢問度NO.4

Q：肚臍是領養的嗎？

A：對喔～沒錯！我是被爸比跟媽咪從醫院帶回家的。有些動物醫院會跟愛心媽媽合作，常常會有跟肚臍我一樣，正在等待一個溫暖的家的主子們。請大家告訴大家，領養代替購買，並永遠服侍好我們喔！

〃詢問度NO.5〃

Q：肚臍爸這麼煩人，肚臍不會想換奴才嗎？

A：雖然他很幼稚，我知道這是他愛我的方式。喵！

〃詢問度NO.6〃

Q：怎麼樣才能讓我們家的主子能像肚臍這麼乖啊？

A：每個主子的個性都不一樣喔~就像是跟你兄弟姊妹的個性也不可能一模一樣吧！但我相信不管是哪種個性，你家主子一定很愛你的！

淡定是我的本命，無視是我的天命，
因為我是「肚臍」，
往後我依然會盡全力抵抗
爸比幼稚的無理取鬧！
好險我還有媽咪幫我撐腰，
請各位幫我加油！

附錄

肚臍著色本

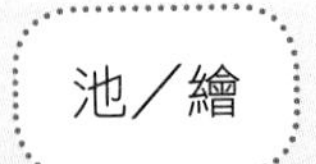
池／繪

肚臍好乖。
ICE

Hooha 虎蛤插畫／繪

Freda／繪

M
DUQI

後記

當初決定發行《肚臍是隻貓》這本書時，跟編輯討論了書的風格跟方向，但其實常常說的跟做的都不一樣（笑）。當初想得天花亂墜，但最後真正開始做的時候，會想要以一種輕鬆又自然的方式，把肚臍的生活呈現給大家。讓這本書不單單只是一本書，而是代表了肚臍生活上的轉變，還有許許多多的生活趣事。希望這本書就是代表肚臍。當你在翻閱時，能夠感受到肚臍就像在你身邊一樣。畢竟我們在寫這本書時，肚臍跟鼻毛一直旁邊看來看去，一下子霸佔電腦，一副超舒服的感覺，不想離開。一下子在飯碗前面哀哀叫，一副餓他們很久的樣子（冤枉啊～～）在破除重重難關後，這本書終於誕生了！

裡面充滿我們的日常生活與愛，也希望這些愛能夠分享給每位讀這本書的人！

肚臍愛大家喔！

肚臍爸／肚臍媽

國家圖書館出版品預行編目資料

肚臍是隻貓 / 肚臍爸小冰 × 肚臍媽喜多著 .
-- 初版 . -- 臺北市 : 平裝本 , 2016.11
面 ; 公分 . -- (平裝本叢書 ; 第 444 種)
(icon ; 41)
ISBN 978-986-92911-8-7(平裝)

855　　105018745

平裝本叢書第 444 種
icon 41

肚臍是隻貓

作　　者 —肚臍爸小冰 × 肚臍媽喜多
發 行 人 —平雲
出版發行 —平裝本出版有限公司
台北市敦化北路 120 巷 50 號
電話◎ 02-2716-8888
郵撥帳號◎ 18999606 號
皇冠出版社 (香港) 有限公司
香港上環文咸東街 50 號寶恒商業中心
23 樓 2301-3 室
電話◎ 2529-1778　傳真◎ 2527-0904
總 編 輯 —龔橞甄
責任編輯 —平　靜
美術設計 —嚴昱琳

著作完成日期— 2016 年
初版一刷日期— 2016 年 11 月

法律顧問—王惠光律師

讀者服務傳真專線◎ 02-27150507
電腦編號◎ 417041
ISBN ◎ 978-986-92911-8-7
Printed in Taiwan
本書特價◎新台幣 299 元 / 港幣 100 元